まちごとチャイナ
浙江省 010

天台山
靄たちこめる「仏教霊山」
［モノクロノートブック版］

JN121943

浙江省中央東部、標高1138mの華頂峰を中心にそびえるいくつもの峰からなる天台山。「古・清・奇・幽」を備え、天の三台星に応ずる山とされ、峨眉山(四川省)、五台山(山西省)とともに中国仏教三大霊山にあげられる。

　天台山は古くから道教の聖地と知られていたが、575年、天台大師智顗(538 ～ 597年)が入山して天台宗を大成し、以後、中国天台宗の拠点となった。この中国最先端の仏教宗派を学んだのが、伝教大師最澄(767 ～ 822年)で、帰国

後、比叡山で日本天台宗を開いている。

　天台山は、中国、日本、韓国など東アジア全域に広がる天台宗の根本道場となり、円珍、成尋、栄西、道元などの日本僧も入山している。現在、天台大師智顗の遺言をもとに隋煬帝によって天台山麓に建てられた国清寺、天台大師智顗の肉身仏を安置する智者塔院といった寺院が、美しい大自然のなか点在する。

| まちごとチャイナ | 浙江省 010 |

天台山

霧たちこめる「仏教霊山」

Asia City Guide Production
Zhejiang 010
Tiantaishan

天台山／tiān tái shān／ティエンタイシャン

「アジア城市（まち）案内」制作委員会
まちごとパブリッシング

Contents

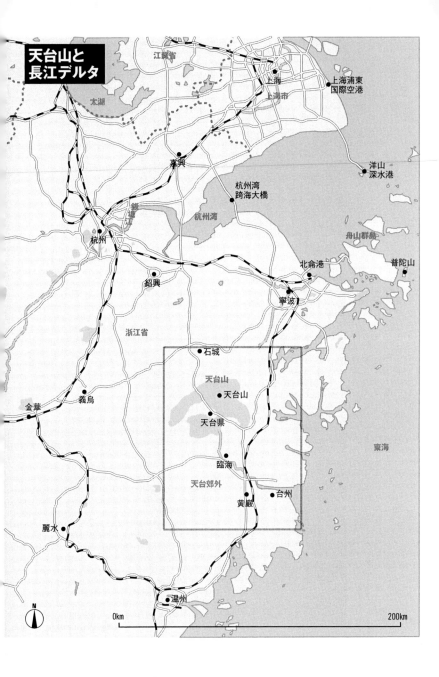

天台山と
長江デルタ

江蘇省
太湖
上海
上海市
上海浦東
国際空港
嘉興
洋山
深水港
杭州湾
跨海大橋
杭州湾
銭塘江
舟山群島
杭州
紹興
北侖港
普陀山
寧波
浙江省
石城
天台山
天台山
東海
天台県
金華
義烏
臨海
天台郊外
台州
黄巖
麗水
温州

N

0km   200km

★★★
天台山／天台山 ティエンタイシャン
★★☆
臨海／临海 リンハァイ
★☆☆
天台県／天台县 ティエンタイシィアン
石城／石城 シイチャン
台州／台州 タイチョウ
黄巌／黄岩 フゥアンイェン

Introduction
天の台星に応じる聖地へ

浙江省中央東部の天台県城の北から
寧波に向かって伸びる山塊群の天台山
東晋の孫綽は「山岳の神秀なる者」と詠んだ

神仙棲む「仙山仙境」

　昔むかし、剡県に暮らす劉晨と阮肇のふたりが薬草を求めて天台山へ入山した。うまそうな桃を見つけた劉晨と阮肇は、それを食べたあと、ふたりの仙女に出逢い、仙女にひきとめられるまま、天台山で楽しく半年を過ごした。さて、ふたりが下山して剡県に戻ると、劉晨と阮肇を知る人は誰もおらず、家には7代あとの子孫が暮らしていた。そして村人は「昔、天台山に薬草を求めて帰ってこなかった先祖がいた」と告げたという。『浦島太郎』にもくらべられるこの話は、中国古来の不老長寿を求める神仙思想、仙人（仙女）の棲む山岳との結びつきが見られる。天台山には古くから道教の仙薬にもちいる薬草を求めて道士が入山し、仏教のみならず、道教や儒教からも聖地とされてきた。

天台宗発祥の地へ

　日本天台宗は、806年、伝教大師最澄が開き、比叡山延暦寺を総本山とする。そして比叡山出身の法然、栄西、道元、親鸞、日蓮が鎌倉仏教をはじめたことから、天台宗は日本仏教諸宗派の源流とされる。この天台宗は中国南北朝から隋代に生きた天台大師智顗(538〜597年)を祖師とし、天台山で思

想を体系化したため、その人を「天台大師」、教えを「天台宗」と呼ぶ。中国天台宗の特徴は、ブッダがインド霊鷲山で説いた内容で、鳩摩羅什が漢訳した『法華経』を最高経典とするところ。この教義はインド僧龍樹（150〜250年ごろ）、慧文（北斉時代の人）、慧思（515〜577年）から天台大師智顗へ受け継がれてきた。智顗の師にあたる慧思は、日本の聖徳太子（〜622年）に生まれ変わったと言われ、その伝説もあって揚州の鑑真（688〜763年）は東征し、天台宗の経典を日本にもたらした。そして鑑真の請来した経典を日本で読み、より深い内容を求めて最澄（767〜822年）は入唐したという。こうした経緯から、多くの日本人にとって「天台山（中国）」は、「比叡山（日本）」「霊鷲山（インド）」とならぶ仏教聖地となっている。

天台山という名前

　中国では殷周以来、天の星宿（星座）とそれに対応する王権や国（地域）との関わりが論じられてきた。北の空で不動の北極を「皇帝」に、その周囲をまわる星を「皇帝の臣下」とする考えも知られる。天台山という名前は、北極星の紫微宮近くにある「三台星宿（三星）」からとられたもので、北斗七星の杓をつくる4つの星を「魁」、その魁のしたにある「上（上台・台宿）」「中（中台・光輔）」「下（下台・紫宸）」というふたつずつあわせて6つの星をさす（皇帝の暮らした紫禁城は、紫微宮に由来する）。南北朝時代の道士である陶弘景は「上応台星、故日天台（天にある台星に応ずる、そのため天台という）」と記している。天台山の「台」が「星」を意味するのに対して、五台山の「台（臺）」は「高くて平らなところ」を意味し、両者のもともとの漢字は異なる。また天台山を天に登るはしごにたとえて、天梯山とも呼ばれた。

いくつもの峰が続く天台山

四隅のそりあがった屋根、高明寺の鐘は10km先まで響くという

最澄が菩薩戒を受けた台州龍興寺

天台宗ではブッダがインド霊鷲山で語った内容『法華経』を重視する

天台県と天台山

石梁飛瀑

石梁飛瀑

華頂峰

万年寺

紹興
杭州へ

天大線

天台山中

桐柏宮

智者塔院
仏隴
高明寺

天培線

螺渓

国清寺
国清寺

赤城山

天台山西路

バスターミナル

済公故居

工路

常台高速

始豊大橋

天台県

天台山東路

0km   5km

N

天台山の構成

　　天台山の領域はきわめて広く、「赤城山」を南門、「石城山」を西門、「金庭観」を北門、「王愛山」を東門とする。最大寺院の国清寺は天台山南門近く、ちょうど山と人びとの暮らす天台県城を結ぶ地点に位置する。そこから北4kmの山をわけいったところの、天台大師智顗が拠点を構えた仏隴が「仏教聖地」、仏隴から西5kmの天台山南西部の桐柏宮が「道教聖地」となっている（また華頂峰の北西4kmに天台山最高の景勝地である石梁飛瀑が位置する）。天台山には、桐柏、赤城、瀑布、仏隴、香炉、羅漢、東蒼をはじめとする「11の山、127の峰」があり、その最高峰の華頂峰（高さ1138m）で天台大師智顗は開悟した。最盛期で70以上の仏教寺院、10以上の道教寺院が天台山にあったと言われ、北の新昌から南下して石梁飛瀑へ続く道、東の寧海から西に進んで華頂峰へいたる道、南の天台県城から北へ進む道を通って人びとは天台山に入山した。

★★★
国清寺／国清寺 グゥオチンスウ
智者塔院／智者塔院 チイチャアタアユゥエン
石梁飛瀑／石梁飞瀑 シイリィアンフエイプウ

★★☆
済公故居／济公故居 ジイゴォングウジュウ
仏隴／佛陇 フウロォン
高明寺／高明寺 ガオミンスウ

★☆☆
天台県／天台县 ティエンタイシィアン
始豊渓／始丰溪 シイフォンシイ
赤城山／赤城山 チイチャンシャン
桐柏宮／桐柏宮 トォンバイグォン
万年寺／万年寺 ワンニィエンスウ

Tian Tai Xian
天台県城市案内

天台山への起点となる天台県城
国清寺はこの県城に近い
山の麓に建てられた

天台県／天台县★☆☆
tiān tái xiàn
てんだいけん／ティエンタイシィアン

天台山の南麓に位置し、天台山への起点となってきた天台県城。始豊渓と清渓の合流点に位置し、かつては変形矩形プランの城壁で周囲を囲まれていた。中原から見て辺境にあたるこの場所に県城がおかれたのは三国呉の257年のこと。「南方をはじめておさめる」という意味をこめて、南始平県という名前がつけられていた。その後、唐代に川の名前でもある始豊県と呼ばれ、675年、唐興県となり、やがて天台山から天台県という名前がとられた。長らく、臨海(台州)へ運ぶ茶や木材、竹細工などの集散地となり、また天台山へ巡礼する人たちが多く訪れた。現在、城壁はとり払われ、労働路、工人路の交差するあたりが街の中心部となっている。

労働路／劳动路★☆☆
láo dòng lù
ろうどうろ／ラオドォンルウ

天台県の中心を走るメイン・ストリートの労働路。城壁をはりめぐらされた時代から、千年にわたって天台県でもっともにぎやかだったところで、古くは「大街」と呼ばれていた。今では銀行や大型商店、公共施設がこの労働路に集まっ

ている。

済公故居／済公故居★★☆
jì gōng gù jū
さいこうこきょ／ジイゴォングウジュウ

　天台山南麓の永寧村に生まれ、南宋の都で活躍した済公
(1148～1209年)の故居。済公は酒を飲み、肉を食らうなど、戒
律を守らない奇僧で、ぼろをまとい、扇をもって笑みを浮か
べる姿で知られた。国清寺で出家し、杭州の霊隠寺、浄慈寺
などに移ったが、その奔放な性格から寺院を追放されるこ
ともあった。一方で、悪代官をこらしめて民衆を助けると
いった性格から、民間では信仰を集め、仏教ばかりでなく、
道教にもとり入れられている(とくに台湾や華僑のあいだで広く信
仰されている)。済公故居はこの済公ゆかりの地に新たに建て
られたもので、規模の大きな楼閣や庭園からなる。また済公
故居のほか、天台県の北側にそびえる赤城山にも済公ゆか
りの洞窟が残る。

上棟式に来た済公

　済公をめぐってひとつの話が伝わっている。ある家族が
家を新築し、その上棟式に済公を招き、そこで済公はご祝儀
の酒を12、3杯飲んでから、この新築のために言葉を送った。
「今後、1000人、この家から葬式が行なわれますように」「妻
が生きているあいだに亭主は死に、子が生きているあいだ
にその父親は死にますように」。家族は葬式や死といった

★★☆
済公故居／济公故居 ジイゴォングウジュウ
★☆☆
天台県／天台县 ティエンタイシィアン
労働路／劳动路 ラオドォンルウ
始豊渓／始丰溪 シイフォンシイ

済公故居

N

北バス
ターミナル

石塞路

済仏殿

済公故居

酔仙閣

赤城路

観霞閣

飛鶴路

労働路

天台県へ

環城東路

0m

200m

済公
故居

明清時代の
天台県城

大街

船着場

始豊渓

言葉をもちいた済公に気分を害したが、よくよく考えると、「この家から1000人の子孫が栄えますよう」「亭主は妻に先立たれないよう、子は親より長生きするよう」といった真意があることを悟り、済公の言葉の真意を理解したという。

始豊渓／始丰溪 ★☆☆
shǐ fēng xī
しほうけい／シイフォンシイ

　　天台山西の大盆山から流れ、赭渓、螺渓など天台山からの支流を集める始豊渓。天台県から臨海(旧台州)、台州(旧海門)へと流れ、途中から霊江と名前を変えるこの河川によって天台県は寧波や温州と結ばれていた(最澄に続く求法僧の円珍は、台州から始豊渓をさかのぼって天台県城の船着場へ着いている)。また天台宗を開いた天台大師智顗は、581年、この流れを殺生を禁じる放生池としたことでも知られる。

★★☆
済公故居／済公故居 ジイゴォングウジュウ

★☆☆
労働路／劳动路 ラオドォンルゥ

天台山への足がかりとなる南麓の天台県

済公は庶民から絶大な信仰を集めた、済公故居

野菜やフルーツを売る人たち、「天台山桔」は温州みかんの源流とも考えられる

済公故居はかつての天台県の北門外に位置する

Guo Qing Si

国清寺鑑賞案内

国清寺は天台宗の総本山
済州霊厳寺、摂州棲霞寺、荊州玉泉寺とともに
「天下の四絶」と言われる名刹

国清寺／国清寺★★★
guó qīng sì
こくせいじ／グゥオチンスウ

国清寺はブッダが霊鷲山で説いた『法華経』を最高の経典とする天台宗の総本山。天台山でその教えを大成した天台大師智顗(538～597年)の遺言で、天台山の山麓に建てられた。生前、智顗は晋王広(のちの隋煬帝)の帰依を受け、その援助もあって601年に国清寺は完成した。当初、天台寺と名づけられたが、修行中の智顗が老僧の定光法師から受けた言葉「もし寺成れば、国すなわち清らかなり」をとって国清寺となった(隋代に建設されたことから「隋代古刹」の文字も見える)。845年の会昌の廃仏以後、851～864年に再建されるなど破壊と再建を繰り返し、禅宗がさかんになった宋代の1130年、禅寺にもなった。文化大革命が終息した20世紀末以後、再び、多くの僧侶が国清寺に集まるようになり、朝早くから修行にはげむ姿もある。

南麓の寺院

天台大師智顗が修行したのはより山奥の仏隴で、国清寺は天台山への登山口にあたる南麓に位置する。山中にある仏隴が出家者の修行の場であったのに対して、山麓の国清

寺は在家信者や一般の人びとのための寺となっている。こ
れは智顗の遺言によるもので、天台県城に近い場所に国清
寺を建てて、人びとに布教するねらいがあったという。天台
山系からのふたつの流れが国清寺前で合流して「双澗回瀾」
を見せ、仏隴方面から流れてくる赭渓のつくる峡谷が、天台
山奥部へ続く街道となっている。この国清寺の周囲を、北の
八桂峰(高さ344m)、北西の映霞峰(高さ462m)、北東の霊禽峰(高
さ318m)、南東の祥雲峰(高さ301m)、南西の霊芝峰(高さ180m)
という5つの峰がとり囲み、601年の建立当初、北の八桂峰
にあった伽藍は、やがて現在の場所に遷された。

隋塔／隋塔★★☆
sui tǎ
ずいとう／スゥイタア

　国清寺の南側の参道にそびえ、国清寺のシンボルとされ
る高さ59.3mの隋塔。六角九層からなる仏塔で、近くの赤城
山に立つ梁妃塔と対応している。隋の煬帝が天台大師智顗
のために建てたと言われるが、その様式は宋代のもの。上部
は失われているものの、外壁にほどこされた美しい仏像彫
刻が見える(この隋塔から元代のパスパ文字が出土し、天台宗のほか、禅
宗、チベット仏教との関係があったこともわかっている)。

国清寺の門前

　天台県側から国清寺へ進むと、入口あたりに高さ59.3m
の「隋塔」、天台山ゆかりの寒山拾得にちなむ「寒拾亭」、宋代
建立の過去七仏を意味する「七塔」が立つ(またそのそばに唐の
玄宗の時代と日本の奈良時代に使われていた大衍暦をつくった一行の墓

が残る）。国清寺前を流れる赭渓に架かるのが、長さ14.4mの豊干橋で、その先の国清寺の壁面には「隋代古刹」の文字が見える。国清寺の山門は風水上の配慮から、あえて小さく、南ではなく東に向かって開かれている。

国清寺の伽藍

　国清寺伽藍は、中央の中軸線と、その東西にそれぞれふたつの軸線がならんで走る様式をもつ。豊かな太鼓腹の弥勒仏を安置する「弥勒殿」、四天王が立つ「雨花殿（天王殿）」、本尊の釈迦牟尼銅像（明代のもの）の鎮座する「大雄宝殿」、毘盧遮那仏と左右の千手観音をまつる「観音殿」へと続く。雨花殿（天王殿）前方の両脇に、鐘楼と鼓楼（正方形、高さ11m）が立ち、また大雄宝殿の東側には隋代から樹齢1400年という「隋梅」が残る（この梅は天台大師智顗から教団をひきついだ灌頂が国清寺を創建したとき植えたものだという）。境内には天台山で修行したという王義之の石刻「鵞」が見える「延寿堂」のほか、「日本天台宗祖堂」「中韓天台宗祖師紀念堂」も位置する。

国清寺と寒山拾得

　『寒山拾得』の説話で知られる寒山と拾得、それに天台山国清寺の僧侶であった豊干をあわせて「国清三隠」と呼ぶ。唐代のある日、国清寺の僧侶豊干は赤城山の道端で数歳の「捨て子」を見つけたが、名前をもたないため「拾得（拾って得た）」と名づけた。拾得は国清寺の食事係として働き、その拾得のもとに残飯をもらいに来ていたのが、「風狂の士」寒山だった。寒山は読書三昧の生活を送ったあと、天台山南西にある寒巌の洞窟に隠遁し、ときどき天台山の国清寺へとやってきた。国清寺の長廊で叫び、ひとりごとを言うなど、周りからは奇人と見られていた寒山も、拾得とは仲がよかった。「知恵」を意味する巻軸をもつ寒山、「実践」を意味す

過去七仏をまつる七塔

渓流の赭渓、国清寺前でふたつの流れが交わることを双澗回瀾という

気の流れを逃さないよう国清寺の山門は小さく東向き

雨花殿にまつられている四天王像

天台山国清寺の本殿にあたる大雄宝殿

金色の坐仏像が安置されている

「鵞」の文字、王羲之は天台山で書を学んだという

5つの山が国清寺を囲む

る竹箒を手にする拾得は、絵画の題材となり、両者をあわせ
て調和がたもたれるとされる。また豊干禅師を弥勒菩薩に、
寒山を文殊菩薩に、拾得を普賢菩薩に見立て、信仰の対象に
もなっている。

山の幸を活かした食事

　天台山やその麓の天台県では、仏教の伝統にあう質素な
食事が食されてきた。古くから山でとれる「山菜」はじめ、白
米、紅棗、豆腐、番薯、芋芳を入れた「五味粥」、冬至の日に食
べるもち米で餡をくるんだ「冬至圓」、豚肉、筍、野菜を混ぜ
てつくった餃子の「菁餃（餅）」などが知られる。

赤城山／赤城山★☆☆
chì chéng shān
せきじょうさん／チイチャンシャン

　天台県の北、国清寺の西側にそびえる 高さ306mの赤城
山。赤い岩層が連なる山は、天台山全体の南門にあたり、仙
人の棲む「丹丘（赤い丘）」として道教と仏教の双方から聖地と
見られてきた（中国の五行思想では赤色は南に配置される）。三国呉
の238年に道士葛玄がここで修行したのをはじめ、梁代には
この山の名前をとって天台県は「赤城」と名づけられたこと
もある。頂上にそびえる梁の岳陽王妃による梁皇塔（538年創
建）、道教十大洞天の第六洞天にあたる玉京洞、南宋の奇僧済
公ゆかりの場所など、数々の景勝地が点在する。またこの赤
城山の朝焼け「赤城棲霞」は天台山を代表する光景と知られ
る。

桐柏宮／桐柏宮★☆☆
tóng bǎi gōng
とうはくきゅう／トォンバイグォン

　桐柏宮は天台山道教の一大拠点で、唐代、皇室から深い信

任を得た茅山派道教の最高指導者司馬承禎(647~735年)が拠点を構えていた。古くは三国呉(222~280年)の道士葛玄が草庵を結んで、煉丹をつくり、著作にはげんだと言われ、その庵を桐柏観と呼んだ。時代はくだって唐代、司馬承禎は睿宗に「葛玄の桐柏観の再建」を望み、711年に道観、713年に「天台山の守護神」王子晋をまつる王真君壇が建てられた。司馬承禎は天台山のなかで住居を変えながらも、703年以後は霊墟と呼ばれたこのあたりに暮らし、桐を切り落としてつくった琴で自作の曲を奏でたという(「白雲子」と号した司馬承禎は則天武后、睿宗、玄宗の3人の皇帝に仕え、生涯のほとんどを天台山で暮らしたが、その名声は長安まで聞こえたという)。かつての桐柏宮の場所にダムができたため、現在の桐柏宮は新たに現在の場所に遷されて再建された。

Tendaisan To Kokuseiji
天台山と国清寺をめぐって

古くから道士や詩人たちに愛された天台山
天台大師智顗による開悟、国清寺の建立
そして東アジアから仏僧の集まる巡礼地となった

天台山のかんたんな歴史

　天台山には、周の霊王太子がここで神仙となったという伝説が残り、風光明媚な隠遁場所や薬草を求めて、三国呉の葛玄、東晋の支遁、竺曇猷らが入山し、とくに孫綽（314〜371年）が「天台山は、蓋し山岳の神秀なる者なり」と詠んで広く知られるようになった（古く辺境の地だった天台山が注目されるのは、漢族が南遷して南京に都を構えるようになった六朝時代以後のこと）。南北朝時代の575年、天台大師智顗が都南京から天台山の仏隴に移り、以後、ここが天台宗の根本道場となった。『法華経』を中心に中国仏教を体系化したこの天台宗を学ぶため、日本や朝鮮からも多くの留学僧が天台山を訪れた。仏教が保護された隋代に対して、唐代になると道教が第一とされ、天台山も道教聖地としての性格が強まり、廃仏の影響もあって天台山仏教は衰退した（また唐代、玄奘三蔵がインドからもち帰った唯識仏教に押された）。こうしたなか日本や韓国に伝わっていた『仏典（天台章疏）』が中国に逆輸入され、宋代、湛然、四明知礼らによって「趙宋天台」と呼ばれる天台宗が再興された。宋代はまた天台宗から禅宗へと仏教の流れが大きく変わった時代でもあり、栄西や道元はこうした時代に天台山を訪れ、日本で禅宗を開いている。明代、天台山には62の寺院があったと記録され、その後、20世紀の文化大革命

バスターミナルで食べた定食、安くておいしい

仏隴から見える高明寺、谷に伽藍が展開する

天台山国清寺のシンボル隋塔

天台宗の総本山の国清寺、「佛(仏)」の文字が見える

による被害もあったが、現在は中国仏教の聖地として再び、注目を集めている。

天台山を訪れた日本僧

　804年、入唐した最澄は、天台山で行満と翛然から、台州で道邃から、越州で順暁阿闍梨から教えを受けて、日本に天台宗を伝えた（「円・密・禅・戒」四宗からなる日本天台宗の教えは、中国天台宗とは少し異なる）。この最澄の意志をついで、経典の疑問や解決していない問題を「唐決」してもらうため、比叡山の円仁（794〜864年）、円載（〜877年）、円珍（814〜891年）といった僧侶が続けて入唐した。3人のうち、天台山国清寺にいたったのは円載と円珍で、円載は最澄以来の国清寺日本新堂（日本新院）で書写をしたと伝えられ、円珍は砂金三十両を出して国清寺に「日本国大徳僧院」を建てている。その後も成尋（1011〜81年）をはじめとする多くの日本僧が天台山を訪れているが、栄西（1141〜1215年）や道元（1200〜53年）は山麓の国清寺ではなく、山中の万年寺で学んでいることから、国清寺にも盛衰があったと考えられている。巡礼僧は天台山南麓の国清寺から、天台大師智顗の眠る仏隴、そして華頂山、石梁飛瀑へといたった。

天台大師智顗の生きた時代

　天台大師智顗（538〜597年）は中国が分裂していた南北朝時代に生まれ、慧思に学んだのち、当初、南朝陳の都南京で布教していた。575年、智顗が天台山に入山したのは、北朝北周の廃仏の影響があると言われ、北周を継いだ隋は南北朝を統一するため江南討伐の機会をうかがっていた。この江南討伐の責任者だったのが、晋王広（皇太子時代の煬帝、569〜618年）で、その拠点は揚州におかれていた。晋王広（煬帝）は江南仏教界の指導者である天台大師智顗を通じて、江南の安定

した統治をねらい、また智顗も権力者と近づくことで仏教（天台宗）の保護を考えた。晋王広はのちに暴君煬帝と知られるようになるが、仏教や道教を保護し、天台大師智顗の人徳を慕っていた。両者は30歳ほどの開きがあったものの、591年、天台大師智顗は揚州におもむいて晋王広（煬帝）に菩薩戒を授け、一方の晋王広は「智者大師」という名前を智顗に送った。597年、天台大師智顗は天台山を出て、晋王広（煬帝）の待つ揚州への途上の石城でなくなっている。死にあたって晋王広（煬帝）へ長文の遺書を残し、「仏法は国土や衆生のためにあること」「天台山の山麓に寺（国清寺）を建ててほしいこと」「多くの出家者を認めてほしいこと」などを伝えた。晋王広（煬帝）はこの智顗の遺言に応え、601年、国清寺が完成し、自らは604年に皇帝（煬帝）に即位した。

天台山／靄たちこめる「仏教霊山」

Fu Long
仏隴鑑賞案内

天台県から赭渓を北7.5kmさかのぼった仏隴
天台山に入った天台大師智顗が修行した場所で
智顗の肉身仏(墓)も残る

仏隴／佛陇★★☆
fú lǒng
ぶつろう／フウロォン

　西の赭渓、東の螺渓というふたつの河の流れを見渡せる丘陵の尾根上に位置する仏隴(隴とは「龍のようにくねった丘」のこと)。575年、南京にいた天台大師智顗の夢に老僧が現れ、智顗を天台山に招いた。この老僧こそ仏隴南側の金地嶺で30年修行していた定光禅師で、「(智顗の修行は)北側の銀地嶺でするとよい」と言った。こうして天台大師智顗は仏隴に庵を結んで弟子とともに精進を重ね、いくつもの天台宗修行道場がつくられていった(西側の桐柏に替わって、天台山東側の開発が進んだ)。天台大師智顗は、ここから陳の後主や隋の晋王広(煬帝)の招きに応じて何度か山を降り、隋の晋王広の待つ揚州へ向かう途上の石城でなくなっている。風光明媚な仏隴を愛した智顗は死後、この地に埋葬(肉身仏化)された。

智者塔院／智者塔院★★★
zhì zhě tǎ yuàn
ちしゃとういん／チイチャアタアユゥエン

　智者塔院には、中国天台宗を大成し、晋王広(煬帝)から「智者大師」の称号が送られた天台大師智顗(538〜597年)が眠る。智顗は南北朝から隋代に生き、龍樹、北斉の慧文禅師、慧思

仏隴

石梁飛瀑へ

N

仏隴

● 修禅寺
遺跡

智者塔院

銀地嶺

智者
塔院

天培線

高明寺 ●

国清寺
天台県へ

金地嶺

0m ————— 500m

北極星そして
北斗七星そばに輝く三台星
右ふたつが上台
中ふたつが中台
左ふたつが下台

と受け継がれてきた教義を天台山で体系化した(師の慧思から陳の都南京に派遣され、やがて天台山にのぼった)。この智者塔院は真覚寺とも塔頭寺とも呼ばれ、智顗が構えていた仏隴の道場(修善寺)の西200mほどに位置する。597年、石城で天台大師智顗がなくなると、その遺体は肉身仏(ミイラ)とされ、智者塔院の奥部に六角形基壇のうえに立つ高さ7mの真身宝塔が安置されている(このなかに智顗の肉身仏がある)。こうしたところから、この地は「天台宗最高の聖地」と言え、智顗の墓前には唐代に天台宗を再興した湛然の墓碑が残り、また天台宗の歴代祖師の画像がずらりとならんでいる。宋代の1008年に真覚寺となり、その後、何度か再建されたのち、天台大師智顗の入滅1400年にあたる1996年に日本天台宗の援助もあって現在の姿となった。最澄はここで「日本国求法斎文十七首」を読み、ほかにも円珍や成尋といった日本僧が多く智者塔院に巡礼している。

肉身塔とは

　遺体の水分が50%以下になると、細菌は増殖せず、腐りにくくなる。中国では古来、こうしてミイラが多くつくられ、唐代には遺体に布を巻いて漆をぬり、そのうえから香泥をぬった。これを肉身像といい、天台大師智顗はじめ仏教の高僧がミイラ化されて信仰対象になってきた。中国では不老長寿を求めて、鉱物や薬草を摂取する神仙思想の伝統があり、その道教と「56億年後に弥勒仏が現れて衆生を救う」という仏教の思想があいまってミイラがつくられたと考えら

★★★
智者塔院／智者塔院 チイチャアタアユウエン
★★☆
仏隴／佛隴 フウロォン
高明寺／高明寺 ガオミンスウ
★☆☆
修禅寺遺跡／修禅寺遺址 シュウチャンスウイイチイ

智者塔院

修禅寺へ

智者大師
肉身塔

東廂房

西廂房

甘泉井

般若心経塔

前殿

国清寺
高明寺へ

0m   30m

N

れている。肉身像はほとんどが坐形の姿をしていて、天台大師智顗の肉身仏は「枯骸特立、端坐して生けるが如し」だったと伝えられている。この智顗の肉身仏の前に石門が建てられ、のちに肉身仏は塔でおおわれた。生きたままの姿で遺体を安置するといったことは、20世紀の毛沢東やレーニンの場合でも知られる。

修禅寺遺跡／修禅寺遗址★☆☆
xiū chán sì yí zhǐ
しゅうぜんじいせき／シュウチャンスウイチイ

修禅寺は、575年、南京瓦官寺にいた天台大師智顗が、陳宣帝の慰留をふり切って天台山に入山し、道場を構えた場所。仏隴の銀地嶺にあったことから、銀地道場とも呼ばれ、山麓に国清寺が建つまで中国天台宗の総本山がおかれていた。天台大師智顗は弟子たちとともにここで胡麻や野菜を植え、どんぐりを拾いながら修行にはげみ、飢饉にあたっては皇帝の命で山麓の天台県から薪や水などの食料が運ばれたという。修禅寺という寺名は、578年、智顗の重視した「坐禅」から名前がとられた「修禅寺」の額が陳宣帝から送られたことにちなむ(智顗の教えは仏隴修禅寺での修行、華頂峰での開悟、荊州玉泉寺時代に大成された)。この修禅寺は唐代、禅林寺と呼ばれたが、智顗の死後に国清寺が完成すると衰退し、現在は廃墟となり、近くに講経台の大丸岩が残っている。

高明寺／高明寺★★☆
gāo míng sì
こうめいじ／ガオミンスウ

仏隴の東側を流れる螺渓側の谷あい、周囲の山に抱かれるように立つ高明寺。天台大師智顗(538〜597年)が開いた道

場をはじまりとし、天台山に残る仏教寺院では国清寺につぐ規模をもつ。智顗が仏隴で説法していたところ、風に乗って経典が飛んでいき、高明山南麓のこの地に落ちた。そこに幽渓道場が構えられ、やがて唐代の天佑年間（904〜907年）に仏教寺院が建立されて910年、高明寺と名づけられた。康有為の筆による「高明講寺」の扁額が見られる山門からなかに入ると、中央と東西の3つの軸線をもつ伽藍が広がる。中央は「天王殿」、高さ4ｍの釈迦、文殊、弥勒三尊を安置する「大雄宝殿」「方丈楼」へと続き、西側に「三聖殿」、東側に「鐘楼」が残る。この鐘楼の高明鐘は重さ3500キロで、国清松、万年柱、塔頭風ともに「天台四絶」とされ、鐘の音は10km先まで聴こえるという。破壊と再建を繰り返し、現在の寺院は文革以後の1980年に再建された。

天台大師のつくった仏教寺院

「予の造る所の寺、棲霞、霊厳、天台（国清寺）、玉泉は乃ち天下の四絶なり」。天台大師智顗は天台宗を大成するあたって各地に寺院を建て、とくに天台山国清寺と荊州玉泉寺が天台宗の拠点となった。天台山では智顗ゆかりの「国清寺」「真覚寺（智者塔院）」「高明寺」「華頂寺」「方広寺」と、修禅寺、西竺院、太平寺、清心寺、天封寺、九明寺、禅林寺の12の寺院が知られるが、現存するのは前者5つとなっている（また12の寺院のうち、天台山南門外に位置したものもある）。天台大師智顗の入山によって仏隴を中心とする天台山南東部の開発が進み、智顗が道場を構え、その肉身仏の残る仏隴は「聖地中の聖地」と言える。

仏隴、細い山道をのぼっていく

天台宗の「聖地」智者塔院

智者塔院の前に立つ般若心経塔

高明寺は天台山では国清寺につぐ伽藍規模をほこる

山に抱かれ静かな空間が広がっている

このなかに天台大師智顗のミイラがあるという

Shi Liang
石梁鑑賞案内

天台山の山深くに架かる1本の石梁
水しぶきがあがるなか石橋を渡り
茶を献ずると五百羅漢が霊異をあらわすという

石梁鎮／石梁镇★☆☆
shí liáng zhèn
せきりょうちん／シイリィアンチェン

　天台山の奥部、石梁飛瀑の南4kmに位置し、北の石梁飛瀑
や方広寺、東の華頂峰、西の万年寺への足がかりになる石梁
鎮。天台山最高峰の華頂峰と同緯度にあたることから、分水
嶺にもなっており、石梁鎮そばを流れる金渓は北麓の新昌
石城へ流れ、石梁鎮より南の赭渓や螺渓は南の天台県に流
れる。

石梁飛瀑／石梁飞瀑★★★
shí liáng fēi pù
せきりょうひばく／シイリィアンフエイプウ

　滝（飛瀑）が20mの高低差を落下し、そのうえを長さ7m、幅
2mの巨大な石（石梁）が橋のようにかかることから名づけら
れた「石梁飛瀑」。わずかな幅しかなく、苔の生えた石橋の姿
は渡る者を畏怖させ、すさまじい水しぶきがあがるその様
子は天台山屈指の景勝地と知られる。古くは東晋の竺曇猷
が隠居した場所で、このときはじめて天台山に仏教が伝わ
り、その後も多くの文人たちをひき寄せてきた。羅漢が現れ
るとも、青龍が雨を降らすとも言われる神秘の場所で、ふた
つの流れがこの地で交わるほか、多くの滝や渓流が美しい

天台山中

万年寺

N

石梁飛瀑

石梁飛瀑

華頂峰

華頂峰

石梁鎮

桃源
春暁

天培線

天大線

智者
塔院 仏隴

道教聖地

桐柏宮

高明寺

仏教聖地

国清寺

国清寺

赤城山

国
清
路

蒼源

0km   5km

天台県   常台高速

景観を見せる。また石梁のそばには康有為(1858〜1927年)による「石梁飛瀑」の石刻が立つ。

羅漢の現れる霊域

石梁(石橋)の奥には金の橋が架かり、それを渡ったところには羅漢が棲んでいるという。羅漢とは悟りを開いたブッダの弟子たちや修行者そのものをさし、「アルハット(阿羅漢)」から名づけられた(五百羅漢はブッダ入滅後の経典結集に集まった弟子たちのことで、小乗仏教で最高の格式となっている)。東晋の竺曇猷は五百羅漢を見て道場をつくったとも、天台大師智顗を導いたり、石橋や国清寺隋塔をつくったりしたのは羅漢だとも言われる。この羅漢は日本にも伝わり、江戸時代に大いに信仰を受けた。

能に描かれた石橋

唐へおもむき、文殊菩薩の霊異を求めて、五台山の石橋を渡ろうとする大江定基を描いた能楽の『石橋』。この話の舞台と知られるのが天台山の石橋で、大江定基は「行くこと難き石の橋」を渡ろうとするが、そこに木こりが現れて「(苔が

***
石梁飛瀑／石梁飞瀑 シイリィアンフエイプウ
智者塔院／智者塔院 チイチャアタアユゥエン
国清寺／国淸寺 グゥオチンスウ

**☆☆
仏隴／佛陇 フウロォン
高明寺／高明寺 ガオミンスウ

★☆☆
天台県／天台县 ティエンタイシィアン
赤城山／赤城山 チイチャンシャン
桐柏宮／桐柏宮 トォンバイグォン
石梁鎮／石梁镇 シイリィアンチェン
万年寺／万年寺 ワンニィエンスウ
桃源春暁／桃源春晓 タオユゥエンチュンシャオ

N

石梁飛瀑

下方広寺

石梁
飛瀑

万年寺へ

中方広寺

上方広寺跡

0m _____ 50m

むし、谷が深いため）人間の渡せる橋にあらず」とそれをとめる
（やがて文殊菩薩の使いの獅子が現れる）。史実では、平安時代に生
きた大江定基(962～1034年)は出家して寂照法師となり、寧
波から宋に入って天台宗に関する27の疑問を四明(寧波)知
礼へあずけた。入宋中の大江定基は藤原道長と書簡を交わ
すなどし、日本に戻ることないまま杭州で客死している。能
楽の『石橋』では、「天台山」が「五台山」に、「羅漢」が「文殊菩
薩」に替えられている。

方広寺／方广寺★★☆
fāng guǎng sì
ほうこうじ／ファアングゥアンスウ

　　石梁飛瀑の位置する渓流にそって、上流から上方広寺・中
方広寺・下方広寺と続く方広寺。古く東晋(317～420年)の竺曇猷
が道場を構えた場所と知られ、ここに智顗以前に入山して
いた定光禅師の草庵があり、その後、天台大師智顗の十二道
場のひとつがおかれた。宋代の1101年、「五百羅漢が霊異を
示す」というこの場所に張履信が五百羅漢像をまつって方
広寺を建て、焼失したのちの1193年に再建された。また南
宋の宰相賈似道が竺曇猷と羅漢をまつる曇華亭を建てたと
伝えられるが、やがて方広寺は衰退していった。20世紀末、
石梁飛瀑の地点に「中方広寺(大雄宝殿、明代の五百羅漢像、曇華亭
の残る)」、石段をくだった滝壺近くに「下方広寺(羅漢堂が見られ
れる)」が再建された。方広とは、大乗仏教で「広大」を意味し、
上・中・下の3つの寺院からなるのは、杭州の天竺寺にならっ
たものだという。

栄西とお茶を献茶

　天台山は多くの日を雲霧におおわれ、適度な気温、お茶の栽培に適した環境をもつ。後漢末には葛仙茶圃があったとされ、標高800〜900mで栽培される天台山のお茶は、「天台雲霧茶(華頂雲霧茶)」という名前で知られる。最澄(767〜822年)は天台山から茶種を日本にもち帰って比叡山日吉茶園に植え、また栄西(1141〜1215年)は浙江の茶種を福岡の背振山にまいたという。1168年、天台山にのぼった栄西は万年寺に入り、その後、石梁(石橋)で羅漢に献茶すると、茶瓶のなかに羅漢が姿を見せ、石橋を渡ると2匹の青龍が現れたという(このとき浙江で合流した重源もいた)。栄西は二度の入宋のなかで、禅宗の仏教とともに、茶樹、茶の栽培法、製茶法、茶文化を日本にもたらし、『喫茶養生記』を記している。

万年寺／万年寺★☆☆
wàn nián sì
まんねんじ／ワンニィエンスウ

　万年寺は東晋(317〜420年)の竺曇猷が万年山の麓に構えた庵をはじまりとし、唐代の833年、この地に仏教寺院が建立された。516体の羅漢像が安置され、1104年に再建されたとき、天寧万年寺と名づけられた。天台山万年寺が特筆されるのは、宋代、のちの鎌倉仏教の担い手となる栄西(1141〜1215年)や道元(1200〜53年)がここで修行したこと。栄西は1168年と、二度目の入宋の1187年に万年寺に入り、当時、臨済宗黄龍派の寺だったこの寺で虚庵懐敞のもと修行している。1191年、菩薩戒を授かった栄西は日本で臨済宗を開いていることから、万年寺で盛んだった禅宗(臨済宗)が日本の臨済宗と祖型となったと言える。栄西は『興禅護国論』のなかで「自分の前身はインド僧で、この万年寺に住んでいた」と記している。また同時代に入宋した道元も、天台山では万年寺を訪れているところから、当時、山麓の国清寺に勢いがな

天台山にしげる竹、この地の重要な物産だった

かったのではと推測されている。

桃源春暁／桃源春晓 ★☆☆
táo yuán chūn xiǎo
とうげんしゅんぎょう／タオユウエンチュンシャオ

　風光明媚な環境から桃源郷にもたとえられる天台山中の「桃源春暁」。昔むかし、嵊県に暮らす劉晨と阮肇が薬草をとりに入山して、ここで桃を食べると、ふたりの仙女が現れた。ふたりはひきとめられて楽しいひとときを過ごし、半年後、下山すると、故郷には誰ひとり知る人はなく、7代あとの子孫がいたという。桃源春暁は天台山八景のひとつにあげられ、仙女に見立てられるふたつの峰「双女峰」が立っている。

華頂峰／华顶峰 ★☆☆
huá dǐng fēng
かちょうほう／ファアディンフェン

　石梁被曝から東6kmにそびえる華頂峰は、天台山の最高峰(標高1138m)。この峰を中心に四方に山が連なる姿を蓮華弁にたとえて「華頂峰(花の頂)」といい、花や草木が茂り、峰が雲におおわれている様子を「華頂帰雲」という。天台大師智顗(538〜597年)が弟子たちを仏隴に残して、ひとり華頂峰に登って頭陀行を行ない、降魔の誘惑をしりぞけて開悟した場所でもある。頂上部には智顗が天竺に向かって読経した「拝経台」、936年に建てられた「華頂峰寺」、小さな石塔の「智者大師降魔塔」、唐代の李白が読書したという「太白書堂」、王羲之が書法を修行したという「王羲之墨池」も残る(王羲之は、天台山で白雲先生こと司馬承禎に書を学んだと言われるが年代はあわず、また華頂峰は「望海尖」ともいうがここから海は見えない)。日本僧では最澄の意思を継いだ円珍が854年に、成尋が1072年に華頂峰に巡礼している。

波しぶきをあげる滝に架かる石橋、石梁飛瀑

北バスターミナルにて、石梁への便はきわめて少ない

カートで移動する人たち

天台大師智顗は華頂峰で開悟にいたった

天台山の売店、趣ある屋根をもつ

Lin Hai

臨海城市案内

唐代以来、台州という名前で知られた臨海
日本天台宗の最澄が菩薩戒を受けたのがこの地で
街をおおう城壁が今でも残っている

臨海／临海★★☆
lín hǎi
りんかい／リンハァイ

　臨海は長らく台州という名前で知られた古都で、現在で
も街をとり囲む城壁が残っている。街に沿うように西側か
ら南側を霊江が流れ、上流に天台山のある天台県、下流に臨
海に代わって発展をとげた台州が位置する（かつて海門と呼ば
れた地が現在、台州と呼ばれている）。この臨海（台州）は江南の開発
が進んだ三国呉の時代（3世紀）に行政府がおかれ、622年、近
くの天台山にちなんで「台州」と名づけられた。804〜805
年、入唐した最澄は臨海（台州）を訪れ、龍興寺で天台宗の菩
薩戒を受けている。また南宋時代、霊江を通じた港をもつ街
は発展をとげ、寧波や温州からの船が臨海（台州）まで遡航し
てきた。こうして臨海（台州）は唐代から清代まで浙江中央東
部の中心都市という性格をもち、県衙がおかれていた。20
世紀初頭になると、より交通の利便性の高い霊江河口部の
海門がこの臨海（台州）に代わって台頭し、現在ではそちらが
台州と呼ばれている。

臨海（台州）

N

括蒼大道

北固山

銭臨路

鄭広文
紀念館

攬勝門
広場

台州臨海
東湖公園

台
州
府
城
壁

北山路

臨海
博物館

東湖路

台州府
文廟

太平天国
台門

回浦路

崇和門
広場

紫陽古街

望江門

巾山西路

赤城路

大橋路

巾子山

台州府
城壁

龍興寺

霊江

0km   1km

龍興寺／龙兴寺★★☆

lóng xìng sì

りゅうこうじ／ロォンシンスウ

　臨海(台州)旧城南東にそびえる巾子山の南麓斜面に展開する龍興寺。伝教大師最澄(767〜822年)が菩薩戒を受けた由緒正しい仏教寺院で、日本天台宗発祥の地のひとつとされる。伝説では仏教の盛んだった南朝梁(502〜557年)の岳陽王が仏舎利を安置して七塔を建てたのがはじまりだという。唐代の705年、伽藍が整備され、最澄は入唐した9か月(804〜805年)のうち、6か月をこの龍興寺に滞在して『法華経』や『涅槃経』を書写し、龍興寺極楽浄土院で天台宗第7祖道邃から円教の菩薩戒を受けている(天台山の高僧道邃は台州勅使陸淳の招きで、この龍興寺に来て講義をしていた)。その後、会昌の廃仏で破壊され、開元寺に名前を変えたが、やがてこの寺は衰退していった。現在は再建が進み、巾子山の西麓に千仏塔が立つほか、伽藍の中心にあたる大雄宝殿に金色の天台大師像が安置されている。

最澄の入唐

　伝教大師最澄(767〜822年)は鑑真(688〜763年)の請来した天台宗の経典を日本で読み、804年、遣唐使船に乗って天台宗の総本山である天台山へと向かった。寧波から臨海(台州)へといたった最澄は、そこで台州刺史陸淳に面会し、陸淳の招きで台州龍興寺で講義していた天台山修禅寺の道邃(天台

遣唐使最澄の求法
（804〜805年）

日本への
帰国船に
乗るため寧波へ

日本へ
帰国後比叡山で
天台宗を開く

越州（紹興）

● 順暁阿闍梨から
密教を学ぶ

密教を学ぶため
越州へ

寧波

中国側の
窓口寧波へ

天台山への
足がかりとなる
台州へ

● 行満から戒律を学ぶ
● 脩然から牛頭禅法門
を学ぶ

天台山

天台山へ

臨海（台州）

天台山から戻ったあと
● 道邃から円教（天台宗）の
菩薩戒を受ける

N

0km
200km

宗第七祖）に出逢った。道邃は最澄のために経典を用意し、この龍興寺で最澄は書写にはげんだ。まもなく臨海（台州）から天台山にのぼった最澄は、天台山仏隴寺の座主である行満から戒律を受け、天台山禅林寺の翛然から牛頭禅法門を伝授された（国清寺も訪れている）。最澄は1か月ほど天台山に滞在したのち、臨海（台州）に戻り、805年、台州龍興寺西廂の極楽浄土院で、唐僧27人とともに道邃から円教（天台宗）の菩薩戒を受けた。そして臨海（台州）から寧波に帰り、日本への遣唐使船を待つあいだに越州へ趣き、順暁阿闍梨から密教を学んだ。こうして最澄は入唐中に学んだ「円・密・禅・戒」の四宗を伝えたため、日本の天台宗は中国天台宗と異なる独自の体系をつくることになった。

奝然の請来した仏像

平安時代の東大寺僧奝然（ちょうねん）は984年に入宋し、宋の太宗趙匡義にも拝謁している。この奝然は入宋中に台州龍興寺（開元寺）にいたり、985年、龍興寺にあったインド伝来の栴檀釈迦像の模刻を中国人彫刻家に依頼した。こうして完成した釈迦如来像を日本にもち帰って、奝然はそれを京都嵯峨清涼寺（嵯峨釈迦堂）に安置した。台州から請来された釈迦如来像は平安時代以後、広く信仰を集めることになった。

台州旧城の見どころ

北固山を背に、麗江が前方に流れる、理想的な風水の地に築かれている臨海（台州）。旧城周囲を城壁に囲まれ、南東側に「仙人の落とした頭巾」に由来する巾山（高さ93m）が位置する。旧城の中心を紫陽古街が走り、かつては行政府にあたる県衙がおかれていた。また764年に建てられた文人の祠の鄭広文紀念館や台州府文廟、太平天国台門などの遺構が残る。

紫陽古街／紫阳古街★★☆

zǐ yáng gǔ jiē

しようこがい／ズゥヤングゥジエ

臨海(台州旧城)の中心部を走る紫陽古街。古い街並みを残し、屋根瓦のふかれた江南民居、火事を防ぎその家の格式を示したうだつが見え、赤ちょうちんや旗が軒先にかかげられている。紫陽古街という名前は、この地にあった台州紫陽宮にちなみ、玉器など雑貨を売る店、小吃店などが軒を連ね、古い臨海(台州)の面影を感じられる。

台州府城壁(江南長城)／台州府城墙★★☆

tái zhōu fǔ chéng qiáng

だいしゅうふじょうへき(こうなんちょうじょう)／タァイチョウフウチァンチィアン

臨海(台州旧城)の周囲をとり囲む防御壁の役割を果たしてきた台州府城壁。城壁の高さは7m程度、全長は4671mになり、現在は南側、西側、北側の三方向に残っている。霊江の流れに沿い、北固山を走る姿は「江南長城(江南八達嶺)」の名前で知られ、地形にあわせて変化に富んでいる。この台州府城壁の建設がはじまったのは東晋時代(317～420年)のことで、北宋時代の1046年に現在の姿となったあとも再建が続き、1600年以上の伝統をもつ。靖越門、興善門、鎮寧門、望江門、括蒼門といった城門、また城門の外側にある防御機能をもった4つの甕城、見張りや兵士の駐屯した敵台や烽火台が残る。霊江を通じて東海にいたる南門がちょうど物資の集まる正門になり、そのあたりに商店や旅館が集まっていた。

霊江／灵江★☆☆

líng jiāng

れいこう／リィンジィアン

北から流れる始豊渓、西から流れる永安渓が臨海上流で合流して霊江となり、台州湾(海門)へとそそいでいく。臨海(台州)はこの麗江の水利で発展し、「霊江、在州城外。其水自

かつて台州の名で知られた古都の臨海

天台県や寧波とバスで結ばれている

黄色の仏衣を着た僧侶たちの姿が見える

龍興寺の伽藍とそびえる千仏塔

明清時代の
臨海（台州）

N

天台県へ

北固山

寺池
（東湖）

臨海（台州）

台州府城壁

西門に上流方面への
港があった

正街

県衙　大街

巾子山

南門（港が
おかれた）

霊江（始豊渓）

海門（現在の
台州）へ

0km　　　　　　　　　3km

三江合流」と言われてきた。長らく東海と浙江内陸部を結ぶ大動脈として機能し、天台山でとれる木材や竹、海からの塩などが霊江を通じて運ばれた(また円珍はこの霊江を遡行して天台県へ向かっている)。移動手段が車にとって代わられるまで、寧波や温州と往来する蒸気船は南門外、上流の天台県と往来する民船は西門外を港とした。

台州臨海東湖公園／台州临海东湖公园★☆☆
tái zhōu lín hǎi dōng hú gōng yuán
だいしゅうりんかいとうここうえん／タイチョウリンハァイドォンフウゴンユゥエン

臨海市街東部に広がる台州臨海東湖公園。宋代の11世紀に台州城壁の東側に整備された貯水湖で、南北500m、東西150mの規模をもつ。この湖の周囲には臨海博物館(東側)、崇和門広場(南側)、攬勝門(北側)などが位置し、街の中心となっている。

台州とその評判

杭州や紹興、寧波などと違って、浙江山間部に位置する臨海(台州)は決して豊かな土地ではなかった。山がちで田畑の少ない土地柄から、無業の遊民、道教と仏教の出家者、溺女(女児を間引きすること)などが多く、それらが土匪として中央に反乱するということも多かった。古くは、北宋徽宗が奢侈のために集めさせた花石綱に反対し、北宋滅亡の原因となった方臘の乱(1120年)、元末の群雄のひとり方国珍(1319～74年)が臨海(台州)と温州あたりを根拠地にしている。また山間部であることから、台州のなかでも地域ごとに特徴ある方言をもつという。

街の周囲をぐるりと囲む台州府城壁

にぎやかな通りの紫陽古街

Tian Tai Jiao Qu
天台郊外城市案内

**天台大師智顗が入滅した天台山の西門石城
また急速な発展を見せる沿岸部の
台州や黄巌が天台山から少し離れて位置する**

寒巌／寒岩★☆☆
hán yán
かんがん／ハァンイェン

　天台山の南西25kmにそびえ、『寒山拾得』の故事で知られる寒山が隠棲したという寒巌(寒山の名前は、この寒巌からとられている)。唐代、寒山はひとりここで瞑想したり、詩作にはげみ、ときどき拾得のいる天台山国清寺に残飯をもらいに行ったと伝えられる。

石城／石城★☆☆
shí chéng
せきじょう／シイチャン

　天台山の西門とされ、天台大師智顗「入滅の地」としても知られる新昌石城。天台山の北西山麓に位置し、剡溪の流れるこの地は呉越と台州、温州を結ぶ要衝にあたる。天台山よりも先に仏教拠点となり、南北朝時代は中国を代表する仏教文化の中心地だった(竺曇猷や支遁は、石城から天台山へ入った)。石城という名前は石城山(高さ156m)からとられ、高さ13.2m、幅15.9mの弥勒仏坐像を安置する大仏寺が残る。天台大師智顗は、天台山から揚州にいる晋王広(隋煬帝)のもとへ向かう途上、この地で入滅し、その遺言で天台山国清寺が建てられることになった。

天台郊外

寧波へ

紹興
杭州へ

金庭観
(天台山北門)

石城
(天台山西門)

上台高速

石梁
飛瀑

華頂峰

天台山

仏隴

赤城山
(天台山南門)

国清寺

寧海

濱海高速

天台県

王愛山
(天台山東門)

寒巌

霊江
(始豊渓)

臨海

臨海(旧台州)

台金高速

台州

台州(海門)

台州湾

黄巌

0km   50km

N

台州／台州 ★☆☆
tái zhōu
だいしゅう／タイチョウ

天台山方面から流れる霊江(淑江)の河口部に位置する台州。長らく臨海(台州)の外港「海門」と呼ばれていたが、上海や寧波、温州との船が往来が活発化したこともあって、20世紀初頭から上流の臨海(台州)にとって代わるようになった。改革開放の流れを受けた1980年、黄巌の工業地区だった海門区が淑江市として独立すると、急速に工業化し、1994年、周囲の市や県を合併して「台州」とあらためられた。隣接する温州とともに「温台モデル」と呼ばれる、私有企業中心の経済発展を見せた。

黄巌／黄岩 ★☆☆
huáng yán
こうがん／フゥアンイェン

黄巌は唐代の675年におかれた永寧県をはじまりとする伝統をもち、690年以来、黄巌と呼ばれている。元末の群雄のひとり方国珍の出身地、また「中国みかんの郷」として知られ、温州みかんはここ浙江黄巌あたりから来た種をもとに日本で出現した新種となっている(江戸時代の

★★★
国清寺／国清寺 グゥオチンスウ
石梁飛瀑／石梁飞瀑 シイリィアンフエイプウ
★★☆
仏隴／佛陇 フウロォン
臨海／临海 リンハァイ
★☆☆
寒巌／寒岩 ハァンイェン
石城／石城 シイチャン
台州／台州 タイチョウ
黄巌／黄岩 フゥアンイェン
天台県／天台县 ティエンタイシィアン
赤城山／赤城山 チイチャンシャン
霊江／灵江 リィンジィアン

1738年の『本草或問』に温州みかんの記述があり、温州みかんのもとは中国の早橘か天台山橘が鹿児島長島にもたらされた種だとされる）。

現在は隣接する台州(旧海門)とともに経済発展が進み、高層ビルが林立する。

道仏混淆する霊山

峨眉山(四川省)、五台山(山西省)とともに
中国仏教三大霊山にあげられる天台山
中国文人や道士に愛された山でもあった

最澄、空海と比叡山

　794年、桓武天皇は奈良仏教の影響から離れた京都に遷都し、平安時代がはじまった。この時代、中国の制度や文化を学ぶため遣唐使が派遣され、最澄、そして空海は同じ年の804年、別の船に乗って中国へ向かった。寧波に到着した最澄が天台山へ足を伸ばしたのに対し、空海の船は福州あたりに漂着し、そこから唐の都長安へおもむいた。最澄は入唐のなかで密教も学んだが、のちに長安から本格的な密教を学んだ空海が帰国し、そちらが優勢となっていた。こうしたなか最澄の意思を受け継ぐ、比叡山の円仁や円珍らが入唐し、比叡山の密教(台密)が完成されていった(円仁は天台山行きを許可されず、円珍は天台山にいたっている)。そのため中国天台山国清寺は比叡山延暦寺の祖庭にあたり、国清寺境内奥の高台には日本天台宗祖堂がもうけられている。また比叡山東の峰の大比叡(848m)に対して、西の峰の四明岳(839m)は寧波の旧名「四明」から名づけられている。

天台山と道教

　天台山には、紀元前550年ごろの周霊王の太子である

王子晋(右弼真人)が仙人になったという伝説が残る。そのため右弼真人は天台山の守り神となり、赤城山や桐柏宮にまつられていた(ほか国清寺の伽藍にも見える)。道教は不老長寿を求める民間信仰からはじまり、道士たちは神仙になるための薬草を求めて天台山に入山した。そうしたことから隋唐代以前は桐柏山が天台山の中心で、天台山とは桐柏山をさしたという。また唐代、司馬承禎が入山したことで唐代の天台山では、道教が仏教をしのぐ勢いを見せている。道教には十大洞天、三十六小洞天、七十二福地などの聖地があり、天台山(桐柏宮)はそのなかの金庭洞天とされ、中国南宗道教の発祥地でもある。

詩に詠まれた天台山

　天台山が中国全土に知られるようになるのは東晋時代のこと。会稽山で隠遁生活を送ったのち、王羲之の推挙で浙江温州永嘉の太守となった孫綽(314〜371年)が『天台山賦』でこの地の風光明媚を詠んだ(曲水の宴を受けて王羲之が『蘭亭前序』を記したのに対して、孫綽は『蘭亭後序』を記している)。以後、天台山は唐の孟浩然、李白、白居易らによって詠まれ、とくに天台山に二度登っている李白の『天台曉望(題桐柏觀)』が知られる。「天台隣四明／華頂高百越／門標赤城霞／樓棲滄島月(天台四明に隣し／華頂百越に高し／門は標す赤城の霞／樓は棲す滄島の月)」。また明代の旅人徐霞客は三度、天台山を訪れ、東側から、また南側からというように異なるルートで天台山に入っている。

最澄はここ台州龍興寺で菩薩戒を受けた

かつて危険を承知で海を渡った遣唐使、今は交通網が整備されている

『聖地天台山』(陳公余・野本覚成/佼成出版社)

『天台山記の研究』(薄井俊二/中国書店)

『中国天台山諸寺院の研究』(斎藤忠/第一書房)

『天台の流伝』(藤善眞澄・王勇/山川出版社)

『天台山に於ける道教と佛教』(井上以智為/弘文堂書房)

『本茶のふるさと天台山』(倉沢行洋・東君/茶道雑誌)

『天台山の詩歌』(薄井俊二/埼玉大学紀要)

『中国の入定ミイラの研究』(松本昭/学苑)

『済公活仏物語に見る注目すべき二つの特色』(野川博之/黄檗文華)

『隋の江南征服と仏教』(塚本善隆/仏教文化研究)

『帝国主義成立期の浙江農村社会』(秦惟一/歴史学研究)

『シナ佛教の研究』(津田左右吉/岩波書店)

『支那省別全誌第13巻浙江省』(東亜同文会)

『支那文化史蹟』(常盤大定・関野貞/法蔵館)

『世界大百科事典』(平凡社)

OpenStreetMap

(C)OpenStreetMap contributors

天台山／靄たちこめる「仏教霊山」

まちごとパブリッシングの旅行ガイド

Machigoto INDIA , Machigoto ASIA , Machigoto CHINA

マカオ-まちごとチャイナ

Juo-Mujin（電子書籍のみ）

自力旅游中国Tabisuru CHINA

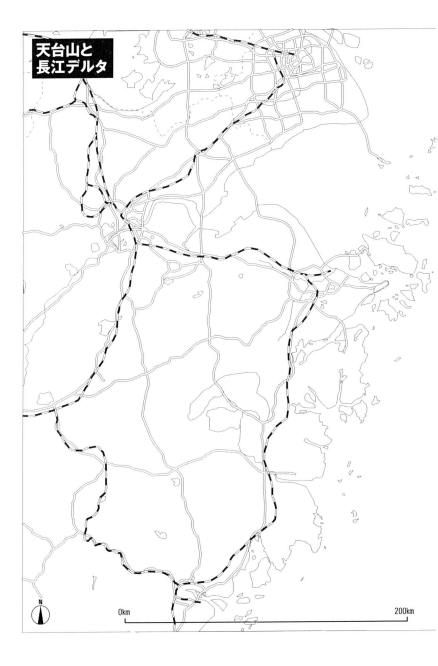

天台山と
長江デルタ

N

0km   200km

天台県と天台山

0km　　　　　　　5km

天台県

0km 1km

N

济公故居

0m ⌐ 200m

国清寺

0m　　　　　　　　　　　　200m

N

仏隴

Om   500m

智者塔院

0m   30m

天台山中

石梁飛瀑

N

0m   50m

臨海（台州）

N

0km　　　　　1km

天台郊外

0km   50km

N

【車輪はつばさ】
南インドのアイラヴァテシュワラ寺院には
建築本体に車輪がついていて
寺院に乗った神さまが
人びとの想いを運ぶと言います

An amazing stone wheel of the Airavatesvara Temple
in the town of Darasuram, near Kumbakonam in the South India

まちごとチャイナ
浙江省 010

天台山
霧たちこめる「仏教霊山」
[モノクロノートブック版]

「アジア城市（まち）案内」制作委員会
まちごとパブリッシング
http://machigotopub.com

・本書はオンデマンド印刷で作成されています。
・本書の内容に関するご意見、お問い合わせは、発行元の
　まちごとパブリッシング info@machigotopub.com までお願いします。

まちごとチャイナ
新版 浙江省010天台山
～靄たちこめる「仏教霊山」

2020年 8月15日　発行

著　者　　「アジア城市（まち）案内」制作委員会
発行者　　赤松　耕次
発行所　　まちごとパブリッシング株式会社
　　　　　〒181-0013　東京都三鷹市下連雀4-4-36
　　　　　URL http://www.machigotopub.com/
発売元　　株式会社デジタルパブリッシングサービス
　　　　　〒162-0812　東京都新宿区西五軒町11-13
　　　　　清水ビル3F
印刷・製本　株式会社デジタルパブリッシングサービス
　　　　　URL http://www.d-pub.co.jp/

MP278